ANIMALES SAGRADOS, ANIMALES MÁGICOS

Gabriel L. de Rojas

ANIMALES SAGRADOS
ANIMALES MÁGICOS

Las mascotas mágicas:
Gatos, perros, peces, pájaros e incluso
los gusanos de seda, animales positivos.

Ediciones Karma.7
Colección "La Otra Magia"

Si desea que le mantengamos informado de las publicaciones que sobre éstos temas editemos, así como de Catálogos generales, remítanos sus datos personales a:
Ediciones Karma. 7.
Avda. del Paral.lel, nº. 155.
08004 Barcelona.

1ª edición:
© Montserrat Tomás Plana
© Ediciones Karma.7

Depósito Legal B. 25.479-96
ISBN 84-88885-36-9

Ilustración portada: Archivo Karma.7

Printed in Spain
Impreso en España

Pre–Impresión : Fotomecánica Iberia, S.A.
Viladomat, 71 — 08015 Barcelona
Impresión : Romanyá / Valls, S.A.
Pl. Verdaguer, 1 — Capellades (Barcelona)

PRÓLOGO

Cuando era un niño, mi abuelo me mostró el sendero del misterio, la reflexión profunda y el amor al Todo. Esa guía, por aquellos años, se unió a mis primeras visualizaciones reveladoras.

Tras ese primer período iniciático, en 1990, profundicé en la sagrada cábala y el ocultismo, cosa que me condujo en la navidad de 1991 a las puertas de la revista Karma.7. Desde esa fecha hasta finales de 1994, publiqué más de veinte artículos en la citada revista y en otras revistas ocultistas (Ritos y Tradiciones y Mundo Oculto) y el libro *Cábala Mágica.*

Después de esas dos etapas de mi vida unidas a los misterios y el ocultismo, inicié una tercera etapa más ligada al trabajo iniciático en órdenes y la publicación de libros. De todo ello, surgieron mis libros *La Masonería Secreta, El Sexo Mágico: historia y prácticas* y *La Magia de las Piedras Preciosas;* colaboraciones en las revistas internacionales: "Foro de la Vida Judía en el Mundo" (México) y "Línea Directa" (Israel); y un buen trabajo en órdenes, alejadas del mundanal ruido de los periodistas, investigadores y vividores similares que pululan por estos temas en busca de dinero e imagen social (sic).

Hoy, finalmente, presento el libro *Animales sagrados, animales mágicos,* dentro de una línea similar a los anteriores.

Es un libro que no se entiende sin una mente fluída y armoniosa con el Todo. Recuerden la frase iniciática: "Todos en el Uno. Y el Uno en el Todo" y que favorece nuestra empresa.

Gabriel L. de Rojas

INTRODUCCIÓN

Durante el transcurso de la historia, muchos animales han sido considerados sagrados. Otros animales, por contra, fueron y son mascotas mágicas y terapéuticas ideales contra el estrés, la ansiedad y la depresión. La presente introducción es una aproximación a esta doble vertiente de los animales, con la intención de dar un breve avance del contenido de la obra.

LOS ANIMALES SAGRADOS

Bastantes animales tienen el honor de haber sido considerados sagrados. Así, de entrada, el perro fue relacionado en la antigüedad con la diosa Isis. Y, ciertamente, la diosa dijo que: "ella es ese perro brillante que centellea entre los astros, y al que se distingue con el nombre de canícula". Por otra parte, el gato también se consideró un animal relacionado con las diosas Isis y Diana. Según parece, la diosa Diana, simbolizada en la Luna, permaneció oculta bajo un gato, para así escapar a las persecuciones de Tifón. El dios gato, además, resultó trascendente entre los egipcios y templarios. Algunos templarios de Nimes (Francia) reconocieron sus tratos con un gato negro que escondía al Diablo.

Otro animal considerado sagrado en la antigüedad y digno de aparecer en la introducción fue el lobo. Los egipcios creyeron que el dios Osiris tomó la forma de lobo, con la intención de socorrer a Isis y Horus del peligroso Tifón.

El lobo también estuvo consagrado a Apolo, cosa que dio vida al nombre Apolo-Licio (de Lokus, lobo).

Pero el animal más sagrado del mundo antiguo fue el toro. Este animal relacionado con Ormuz contuvo los principios de la vida de los hombres, los animales y las plantas. Cuenta la tradición que el primer hombre surgió de su hombro derecho y que los animales aparecieron gracias a su hombro izquierdo. La devoción por el toro sagrado se puede adivinar al descubrir que en muchísimos monumentos hebreos adoraron a un becerro de oro.

Más allá de estos animales sagrados citados en la presente introducción, cabe decir que también la paloma fue y es un animal sagrado. El dios Júpiter fue alimentado por palomas, Hércules conoció su final por medio de una paloma y los cristianos siempre han creído que el Espíritu Santo tiene forma de paloma y color blanco.

Finalmente, en espera de otros animales sagrados que aparecerán a lo largo del presente libro, resulta interesante citar a otro animal sagrado y trascendente: la serpiente.

La serpiente es un animal iniciático. Serpiente con discos de jade. Arte maya.

Los hebreos creyeron en las virtudes terapéuticas y divinas de la serpiente, otros pueblos antiguos relacionaron a la serpiente con Mercurio, los gnósticos admitieron la capacidad creadora de la serpiente, Jesús llegó a decir: "sed sabios como la serpiente y sencillos como la paloma", y los dioses y diosas Apolo, Atenea e Isis igualmente estuvieron relacionados con la serpiente. La serpiente sagrada también se encuentra en el tantrismo. Este culto enseña disciplinas, costumbres y meditaciones para alcanzar la Gran Dualidad, el dios Shiva y la diosa Shakti, y despertar la Kundalini Shakti o Serpiente de Fuego que se halla enroscada en la base de la columna vertebral.

ANIMALES: MASCOTAS MÁGICAS Y TERAPÉUTICAS

Tras citar la relación de algunos animales y lo sagrado, resulta interesante mostrar la otra parte mágica y terapéutica de los animales citada anteriormente. De esta forma, en principio, el perro destaca por su sumisión, fidelidad, bondad y afecto. Y, gracias a esto, dicho animal es una mascota mágica y terapéutica muy recomendable contra la depresión o las enfermedades nerviosas.

Además, el gato tiene la capacidad de atraer buena parte de la energía negativa. Y ello le convierte en una mascota mágica y terapéutica capaz de eliminar la energía negativa de una o varias personas.

Otro animal con capacidad mágica y terapéutica es el pez. Observar peces de diferentes y bellos colores disminuye la presión sanguínea, cura el estrés y otorga paz mental y espiritual.

Por último, otros muchos animales son excelentes mascotas mágicas y terapéuticas. En la presente introducción, se puede decir que el caballo elimina el estrés; que las aves, y más concretamente los periquitos, erradican la soledad y sanan la depresión; que los escarabajos otorgan bienestar; y que las citadas e iniciáticas serpientes conceden fertilidad. Y, sobre ese poder mágico y terapéutico de los animales, Pedro Ridruejo, catedrático y director del Departamento de Psiquiatría de la Facultad de Medicina de la Universidad Autónoma de Madrid, de forma muy acertada, apunta lo siguiente:

"Los animales nos permiten ir destruyendo las autodefensas enraizadas en nuestro interior y reconocer nuestras necesidades más profundas... Son terapeutas natos, ya que dan a sus dueños una seguridad emocional equivalente a la que recibimos de nuestra madre en la infancia. Dan beneficios fisiológicos como reducción del estrés; psicológicos como seguridad, constancia e intimidad; y sociales, pues la mascota pone bálsamo en algunas vidas problemáticas".

CONCLUSIONES

En la presente introducción, se ha podido comprobar que los animales han sido y son sagrados y excelentes mascotas mágicas y terapéuticas. Ello ha servido para empezar a conocer la gran dimensión de los animales y como anticipo de la presente obra, esta introducción, en fin, puede concluir con un poema propio que exalta toda esa grandeza de los animales. El poema se titula **El animal**, y dice así:

"Amando siempre o protegiendo al dueño,
amor y amistad ofrece.
Deseando una caricia o un beso,
su amor, verdadero amor, nunca perece.
Supera al hombre en honor.
Y, por eso, nadie puede darle lo que merece".

1
La Paloma y otras aves

Los españoles tienen en sus casas unos veinte millones de animales domésticos: perros, gatos, peces, pájaros, hamsters e incluso gusanos de seda. Estos animales además de proporcionar gran compañía a sus poseedores, son médicos en potencia, ya que investigaciones recientes demuestran que el trato cotidiano con nuestros compañeros irracionales puede reducir el estrés, la ansiedad y la represión; incluso puede facilitar la rehabilitación e integración social de delincuentes y disminuidos mentales.

Además de lo apuntado, estos animales están cargados, generalmente, de tanta energía, de tanto mimo y consideraciones, que forman parte integrante de la familia, enriqueciéndola con una mejor armonía, si así pudiéramos decirlo.

Dice don Pedro Ridruejo, catedrático y director del Departamento de Psiquiatría de la Facultad de Medicina de la Universidad Autónoma de Madrid –en una entrevista que le efectuó la revista QUO–, al serle preguntado si es recomendable tener mascotas; su respuesta fue contundente: "Si analizamos lo consignado en la literatura médica sobre el tema, comprobamos que existen beneficios fisiológicos como reducción del estrés; psicológicos como seguridad, constancia o intimidad; y sociales, pues la mascota pone bálsamo en algunas vidas problemáticas".

LA PALABRA "MASCOTA" PUEDE INTERPRETARSE COMO "AMULETO" O "TALISMÁN", COMO ALGO QUE SU USO, POSESIÓN O CONTACTO, NOS PRODUCE SUERTE.

La Paloma

HISTORIA SAGRADA DE LA PALOMA

La paloma ha sido considerada un animal sagrado durante toda la historia. Así, en la antigüedad, la ley hebrea de Moisés prescibía que las mujeres llevasen dos palomas al Templo tras su purificación, con la intención de elevar el ritual; los griegos y romanos relacionaron a sus dioses y diosas con palomas; Filón creyó que los habitantes de Ascalón rendían un buen y devoto culto a las palomas; e, incluso, los persas consideraron a las palomas blancas transmisoras del principio del bien. Además, se sabe que Architas de Tarento adquirió celebridad por haber fabricado una paloma automática y casi divina.

Detrás de esa antigüedad tan rica en palomas sagradas, en los primeros siglos del cristianismo, la paloma pasó a ser para los cristianos un animal sagrado y divino que representaba al Espíritu Santo. Esa creencia tomó cuerpo desde el momento en que una paloma se posó sobre la cabeza de Jesucristo en su bautizo.

En la Edad Media, la paloma fue considerada un animal sagrado por los citados cristianos y otras tradiciones religiosas. Por ello, muchos monumentos de ese período oscurantista e inquisitorial tienen bellas palomas.

Más tarde, durante la Ilustración y el Iluminismo (siglo XVIII), la paloma también se convirtió en un animal sagrado para la masonería y otras sociedades secretas. De esta manera, la paloma figuró por primera vez en la masonería moderna o especulativa como símbolo de algunos

15

altos grados masónicos. Según el grado 28° del Rito Escocés Antiguo y Aceptado, la paloma "representó y representa el espíritu universal de la Naturaleza y con idéntico o muy parecido significado en todos los otros grados en los que interviene".

El punto culminante de la relación entre la masonería y la paloma llegó con la masonería de adopción. En esta masonería irregular, la paloma era símbolo de virginidad y mediadora entre Dios y los hombres en el primer grado, animal sagrado en el segundo y tercer grado y compañera de Logia en el octavo grado.

Cagliostro, masón e iluminati natural de Palermo (Sicilia) que creó el Rito Egipcio, en su masonería egipcia, otorgó una gran importancia a las palomas. La vida y milagros de este aventurero con fama de embaucador podría servir como novela humorística.

La paloma es un animal con una gran capacidad mágica y terapéutica.

Hoy, finalmente, la paloma continúa siendo un animal sagrado para diversas tradiciones religiosas y cultos, órdenes y logias de todas las tendencias. Sin ir más lejos, los rusos actuales, por sus creencias religiosas, tienen escrúpulos en el momento de comer palomas. Cierto político ruso, al respecto, apuntó hace escasas fechas que "en Rusia o en el extranjero acostumbro a beber bastante o a comer poco. Las palomas pues, son un plato prohibido para mí". No es extraño que este político, cuyo nombre es Boris Yeltsin, reconozca su gusto por el alcohol. Más extraño nos resulta su poca afición a comer palomas.

MAGIA Y TERAPIAS DE LA PALOMA

La paloma también es un animal con una gran capacidad mágica y terapéutica. De esta manera, la paloma es útil en los oráculos y las predicciones, a la vez que, por ello, resulta excelente mascota contra la ansiedad, la depresión y otras enfermedades nerviosas.

Además, la paloma posee gran dulzura, inocencia, fidelidad y pureza, cosa que la convierte en un animal idóneo para ayudar a superar la soledad.

Finalmente, la paloma blanca es capaz de despertar la espiritualidad.

En relación a la magia de las palomas, L.U. Santos comenta:

"La historia hace mención de dos palomas famosas: la una se alzó del lado de Dedona, yéndose a posar sobre una encina a la que comunicó la maravillosa propiedad de poder dar oráculos o vaticinios, y la otra se dirigió a la Libia, en donde se posó entre los cuernos de un carnero, desde donde publicó también sus profecías. Esta última era blanca; la otra de oro; y aunque había transmitido a los árboles el don de la profecía no por esto perdió ella esta virtud".

EL SÍMBOLO DE LA PALOMA

El símbolo de la paloma representa el amor, la amabilidad, la inocencia, la pureza y la bondad. Para los cristianos, la paloma además simboliza el dolor, el martirio y el Espíritu Santo. Por eso, es frecuente encontrar palomas grabadas en las piedras de sepulcros y en sarcófagos.

Una paloma con un ramo de olivo en el pico simboliza la paz. Y una paloma negra puede simbolizar el infierno.

OTRAS AVES:
EL ÁGUILA, LA CIGÜEÑA, EL BUHO, LOS PERIQUITOS Y EL VAMPIRO

El Águila

La visión de águilas da felicidad y paz interior.

El águila fue un animal sagrado para los primeros cristianos y la masonería. Por ello, diversos grados de la masonería llevan incluido el nombre de águila.

El águila es un animal relacionado con el poder y la libertad. Y ello provoca que la visión de águilas de felicidad y paz interior.

La Cigüeña

La cigüeña estuvo relacionada con lo sagrado en el antiguo Egipto. Así, los egipcios colocaron cigüeñas negras o blancas y negras en sus jeroglíficos, a la vez que relacionaron a Mercurio y Hermes con el animal.

La presencia de la cigüeña otorga paz y seguridad.

La cigüeña está relacionada con la protección y, por eso, su presencia otorga paz y seguridad.

El Búho

Diversos pueblos de la antigüedad como los romanos, los griegos, los celtas o los indios americanos consideraron al búho un animal sagrado.

El búho, además, guarda relación con la clarividencia, el trabajo astral y la magia. Un búho también es un buen amuleto protector y un sendero hacia la interiorización y la paz.

La figura del búho es un buen amuleto.

Los Periquitos

Los periquitos, que engloban diversas especies de aves, son animales de compañía relativamente actuales.

Los periquitos poseen una gran capacidad terapéutica. Según los psicólogos, erradican la soledad y sanan la depresión.

Los periquitos erradican la soledad y sanan la depresión.

El Vampiro

El vampiro siempre ha estado relacionado con el culto a la sangre. Diversas leyendas del culto fueron recopiladas por el ocultista de la Golden Dawn: Bram Stocker, en su conocida novela "Drácula". Hoy, existen sectas que trabajan el vampirismo.

El vampiro otorga vida, sensualidad, fuerza y poder sobre la muerte. Eso erradica muchos miedos.

Sobre el vampirismo, un ocultista inglés conocido mío, me explicó que "el vampiro es una criatura muy delgada, andrógina y al que le gusta beber sangre hasta saciarse o reventar... El vampirismo está relacionado con esa devoción por la sangre, aunque en algunas ocasiones los fines son otros: inmortalidad, longevidad, triunfo sobre la muerte. Varias Logias de la Golden Dawn o el Templo de Set dan importancia al vampirismo".

2
El Pelícano

No cabe duda que el pelícano, ave acuática, es un símbolo de amor paternal, quizá por ello la filosofía Rosacruz lo ha recogido.

Difícilmente hallaremos pelícanos en nuestras casas, pero sí es de obligado rendimiento escribir sobre un ave, que antaño alimentaba a sus crías con su carne y con su sangre.

La imagen del pelícano muchas veces sustituye la del fénix.

LOS ANIMALES DE COMPAÑÍA TAMBIÉN
CONTRIBUYEN A MEJORAR LA SALUD
FÍSICA Y SOPORTAR LA VEJEZ.

El Pelícano

HISTORIA SAGRADA

El pelícano siempre ha estado relacionado con un principio divino. Durante la antigüedad, los judíos no comían carne de pelícano, mientras que los cristianos relacionaban a este animal con el principio divino.

En la Edad Media, el cristianismo volvió a dar una importancia inmensa a la condición sagrada del pelícano. Por ello, en algunos monumentos, aparecieron figuras, pinturas e inscripciones relacionadas con el pelícano. Un bello ejemplo de ello, lo encontramos en los troncos o cepillos de beneficiencia.

Los masones medievales, obreros y arquitectos financiados por la Orden del Temple, pusieron unos troncos o cepillos de beneficiencia al lado de las pilas de agua bendita, para, así, provocar la caridad; los artistas masones dieron a esos cepillos forma de pelícano, símbolo precisamente relacionado con el sacrificio y la caridad.

El pelícano es un animal ideal para combatir la inseguridad, el ansia y la locura.

23

También, en la Edad Media, los musulmanes otorgaron gran trascendencia a la condición sagrada del pelícano. Los musulmanes creyeron que el pelícano vivía en Arabia y que Alá se servía de él para dar agua a los peregrinos de la Meca.

Más adelante, los movimientos rosacrucianos y los masones libres del siglo XVIII también adoptaron y elevaron al pelícano a la condición sagrada. Sin ir más lejos, en el grado de Caballero Rosacruz del Rito Escocés Antiguo y Aceptado de la masonería moderna, es decir, de la masonería que partió de las Constituciones de Anderson escritas en los inicios del siglo XVIII, se utilizó el símbolo del pelícano remontando por la cruz, en clara alusión a la crucifixión de Jesucristo.

En ese grado, también se utilizó y utiliza el símbolo del pelícano entre las piernas del compás, rodeado de siete polluelos, y en actitud de abrir el pecho para alimentarlos.

En nuestros días, por último, el pelícano es sagrado para el cristianismo, la religión musulmana y las órdenes citadas, entre otros cultos y órdenes que aún reconocen su condición sagrada.

MAGIA Y TERAPIAS

El pelícano es un animal con una extraordinaria magia y capacidad terapéutica. Así, el pelícano es poder material, mágico y espiritual, riqueza, fraternidad y amor, a la vez que, por todo esto, también es un animal ideal para combatir la inseguridad, el ansia y la locura.

Esa visión mágica y terapéutica del pelícano, se halla bien expuesta en los versos del poeta masón F. Domínguez. Dice así:

24

"Manando sangre, desgarrado el pecho,
simbólica leyenda representa,
con su carne a los hijos alimenta
y muestra altivo el corazón desecho...
A nuestra admiración tiene derecho,
si la leyenda la verdad nos cuenta
y esas heridas que en el pecho ostenta
para su prole alimentar a hecho.
Pelícano de raro simbolismo
el sacrificio empiezas por ti mismo
y por otros tu vida sacrificas...
Tú superaste al hombre en heroismo
y más grande que el hombre en heroismo
el amor sacrificas...".

Como se ha podido apreciar, siempre existen espíritus sensibles a la magia y la bondad de los animales. Este poeta, bajo mi opinión, es uno de esos espíritus fraternos y amorosos.

EL SÍMBOLO

El símbolo del pelícano, en principio, guarda relación con cosas tan nobles como el sacrificio, la caridad, la fraternidad, el amor, las actuaciones filantrópicas...

Pero también el símbolo del pelícano tiene estrecha relación con Jesucristo. Y, en referencia a ello, el libro *El catecismo masón,* de Luis Umbert Santos nos dice:

"Frecuentemente se representa también un dragón en lucha con un pelícano: es otro emblema de Jesucristo, del Salvador, saliendo victorioso de la ira infernal... Y como el pelícano ha sido siempre el emblema de Jesucristo, "Pie, Pelicane, Jesu Domine", este es el que anodada aquí el demonio señor de la Roma pagana, cuyos pecados son castigados por la derrota del ángel criminal...".

La cita muestra la relación del pelícano con Jesús. Lástima que la falta de respeto hacia los demonios, los paganos y los cultos precristianos también aparezcan en este masón algo cegado por el odio y el fanatismo. No debe saber él, a pesar de su grado, que los misterios más profundos de la tradición masónica permanecen unidos a los cultos precristianos y luciferinos. Una ojeada a muchas catedrales góticas le supondría una profunda reflexión.

3
El Perro, el Lobo y el Zorro

Es probable que la era de las mascotas comenzara con gatos y perros. En la actualidad unidos a los peces y periquitos, estas cuatro especies forman el noventa por cien de la población (de compañía) española.

El 9% de perros y el 14% de gatos viven en familias sin hijos.

Los animales en compañía con los humanos, nos permiten ir destruyendo las autodefensas enraizadas en el interior y conocer nuestras necesidades más profundas.

El perro doméstico ya aparece en la Mesopotamia hace 14.000 años, cuando el hombre comenzó a vivir en poblados.

R.Plana

Cuanto más conozco a los hombres, más quiero a mi perro.

Lord Byron

Para muchas personas los perros son simples seres irracionales, para otras son más que animales de compañía.

El autor

EN CIERTOS CASOS, LOS ANIMALES DE COMPAÑÍA ACTÚAN COMO SUSTITUTOS DE LOS HIJOS QUE NO SE TIENEN O QUE YA HAN ABANDONADO EL HOGAR. (SÍNDROME DEL NIDO VACÍO).

El Perro

HISTORIA SAGRADA

El perro ha sido considerado sagrado por muchos pueblos de la historia. De esta manera, en la antigüedad, los egipcios veneraron a los perros, hasta que estos se comieron al toro Apis, y utilizaron sus cabezas para representar a Mercurio y Anubis.

El perro es una mascota mágica y terapéutica muy recomendable contra la depresión o las enfermedades nerviosas.

Los dioses y diosas Isis, Hécate, Diana, Marte y Mercurio también se relacionaron con perros; los filósofos dieron a sus perros los nombres de perro de Corasceno y perro de Armenia; y los romanos mantuvieron un perro sagrado en el Templo de Escolapio.

En la Edad Media, el perro apareció dentro del simbolismo de los alquimistas. Recordemos el perro que lame la pierna del peregrino.

En el siglo XVIII, también la masonería moderna incorporó el perro sagrado en la leyenda del Maestro Hiram. Según esta tradición, el cadáver oculto debajo de un montón de escombros del Maestro Hiram fue descubierto por un perro y, por ello, los compañeros del deber que buscaron la tumba deben llamarse perros. El perro, además, apareció y aparece de forma simbólica en los más altos grados de la masonería como representación de fidelidad y celo en el cumplimiento de los deberes masónicos.

Y, por último, en nuestro tiempo, más allá de órdenes, logias y esoterismos de todas las tendencias, los griegos, adoradores del fuego, igualmente adoran al perro sagrado. En el libro de su ley, se exige caridad, amor y comprensión devota con este animal sagrado.

MAGIA Y TERAPIAS

La magia y las terapias que parten del perro son excepcionales. Se conoce que la presencia de un perro ofrece poder. Y, ciertamente, gracias a este animal, el hombre conquistó, domó y redujo a otros hombres y animales.

También es sabido que el perro otorga dominio sobre la tierra y la muerte. Algunas tradiciones, de hecho, utilizaron y utilizan a perros para hablar con los muertos.

Ciertos pueblos se sirven de los perros para conocer el estado de las almas de los muertos, es decir, su situación favorable o desfavorable.

En última instancia, la presencia de un perro, sea de caza, guardián, pastor, de agua, bull-dog, San Bernardo o galgo, otorga serenidad y calma, estados muy útiles para reducir el estrés, la ansiedad, la depresión u otras enfermedades nerviosas.

Por todas estas cualidades del perro, el naturalista y estudioso de los comportamientos de los animales Buffón apunta:

"Y cede en el perro doméstico a sensaciones más apacibles, al placer de tomar cariño, y deseo de agradar: le vemos que viene arrastrándose a deponer a los pies de su dueño su coraje, su fuerza, su instinto: espera atento sus órdenes para poner en uso sus cualidades".

EL SÍMBOLO

El símbolo del perro está relacionado con la obediencia, la fidelidad, la bondad y el poder.

El Lobo

HISTORIA SAGRADA

El lobo siempre ha estado relacionado con lo sagrado. Los antiguos egipcios creyeron que Osiris tomó la forma de lobo para socorrer a Isis y Horus del peligroso Tifón. Los griegos consagraron el lobo a Apolo y, pensaron que su madre llamada Latona dio a luz a éste con forma de

La imagen del lobo acerca la valentía, la seguridad y el poder.

loba. Los romanos relataron la historia de la loba que amamantó a Rómulo y Remo.

Los filósofos tuvieron la certeza de que el lobo y el perro eran del mismo origen, gracias a la expedición de Osiris en la que participaron sus dos hijos: Anubis, de forma de perro, y Macedón, con forma de lobo. Las cofradías de constructores denominaron lobos salvajes a los obreros rebeldes. Y la masonería utilizó y utiliza las palabras lobatón (hijo de masón) y taller o Logia salvaje (taller o Logia rebelde e irregular) por culpa de lo citado.

MAGIA Y TERAPIAS

El lobo posee magia y capacidad terapéutica. La imagen del lobo acerca la valentía, la seguridad y el poder. Esa misma imagen, por consiguiente, es buena para socorrer la inseguridad, el miedo o el insomnio.

EL SÍMBOLO

El símbolo del lobo guarda relación con la valentía y la superación personal.

El Zorro

HISTORIA SAGRADA

El zorro ha sido un animal sagrado, principalmente, para la masonería de la Estricta Observancia Templaria.

El símbolo del zorro está relacionado con el disimulo y la cautela.

El maestro Masón de esta masonería debía tener muy presente a este animal, porque un Escocés debía vivir en el disimulo y atento como el zorro.

MAGIA, TERAPIAS Y SÍMBOLO

La magia y las terapias del zorro guardan relación con el disimulo y la paz que otorga éste. El símbolo del zorro está relacionado con el disimulo y la cautela.

El hombre forma parte de la naturaleza y necesita pues de ella y en la medida que la naturaleza es destruída por el propio hombre y éste se ve aislado y desarraigado de ella, más busca el ser humano la compañía de los animales.

Javier Castroviejo, *presidente del comité científico de la Fundación Purina.*

A las personas mayores un perro les fuerza al ejercicio regular y les sirve de antídoto contra el hastío de la soledad.

Salvador Pi

Está demostrado que los jubilados poseedores de algún animal doméstico, mejoran sus problemas de ansiedad, depresión, control emocional y de conducta.

Margalida Gil, *psicóloga de la Universidad de les Illes Balears.*

4
La Serpiente, el Gato
y el Escarabajo

En Camboya aún en nuestros días se transporta en una jaula a un gato de casa en casa, en el curso de una procesión con cantos para obtener la lluvia: cada vecino riega el gato, cuyos maullidos, se dice, conmueven a Indra, dispensador del aguacero fecundante. Como puede apreciarse no es un mero acto mágico, sino mucho más.

J. Chevalier

Los gatos, junto con los perros, son los animales que más conviven en las casas domésticas de nuestra nación. Los gatos persas y los siameses son los más apreciados de las familias con niños, todo ello en función de las estadísticas actuales. La docilidad del perro, el gato no la posee, pues este último en general se nos acerca cuando es él quien quiere "mimo", por tanto podemos decir que es observador, malicioso y ponderado, y consigue siempre sus fines.

El autor

Un paciente crónico al que el dolor de la cura diaria de una úlcera maligna era insoportable, podía sobreponerse a él con un perro en su regazo.

Sam Ahmedzai (*De Magazine, La Vanguardia).*

EXISTE LA CREENCIA DE QUE UN GATO DE COLOR NEGRO TRAE MALA SUERTE, PERO NADA MÁS LEJOS DE LA REALIDAD, AL CONTRARIO, ABSORBE LA POSIBLE NEGATIVIDAD REINANTE.

La Serpiente

HISTORIA SAGRADA

La serpiente ha sido considerada un animal iniciático y sagrado durante toda la historia de la humanidad. Así, los antiguos hebreos creyeron que la serpiente estaba relacionada con Dios, tras conocer que el Eterno envió serpientes venenosas como castigo y serpientes sanadoras en forma de premio. Al hilo de esto, cabe recordar que Dios, en Números XXI, aconsejó: "Haz una serpiente de bronce y pónla sobre un estandarte; quienquiera que siendo mordido la mirare, vivirá".

Las iniciáticas serpientes conceden fertilidad.

Más tarde, los romanos y griegos también relacionaron a la serpiente con el caduceo sagrado y el dios Mercurio.

En el siglo I, el propio Jesús sintió una devoción inmensa por las serpientes. Por ello, recomendó "ser sabios como la serpiente". Esta frase resulta iniciática cuando se conoce que la palabra mesías tiene el mismo valor numérico que la palabra serpiente y que Jesús apareció hasta el siglo XII con la imagen de una serpiente sobre la cruz.

Ya, en el siglo III, los gnósticos reconocieron que la serpiente había ayudado en la creación del cielo y la tierra, porque Dios la hizo receptáculo de la gran sabiduría divina.

Y, hoy, finalmente, el tantrismo, culto que enseña desde hace milenios disciplinas, costumbres y meditaciones para alcanzar la Gran Dualidad y despertar la Kundalini Shakti o Serpiente de Fuego enroscada en la columna vertebral, es la tradición que más respeta la condición sagrada de la serpiente.

MAGIA Y TERAPIAS

La serpiente es pura magia y terapias. Ella se eleva de la tierra al cielo y, de la misma manera, es protagonista en el bastón medicinal de Mercurio. La serpiente, por dichos motivos, nos ayuda a ascender hacia el cielo y proporciona conocimiento interior, paz, salud...Contemplación.

EL SÍMBOLO

La serpiente simboliza el conocimiento iniciático que invita a ascender hacia el Uno.

El Gato

HISTORIA SAGRADA, MAGIA Y TERAPIAS

Los egipcios consagraron un gato a Isis y, por ello, el animal apareció en la mano de la diosa. También los egipcios creyeron que la diosa Diana se ocultó bajo la forma de un gato, para escapar a las persecuciones del peligroso Tifón. El dios gato estuvo presente en muchos monumentos egipcios con un astro en una mano y con un vaso en la otra, de la misma manera que Isis; sentado de forma iniciática; o atado en un círculo y con una cruz.

En el medievo, época de brujería y sábats estimulantes, el gato sagrado encontró un lugar con los Templarios de Nimes (Francia), los magos y la brujería, culto residual del antiguo paganismo precristiano. Los Templarios de Nimes (Francia) reconocieron sus tratos con un gato que escondía al Diablo.

El gato es una mascota mágica y terapéutica capaz de eliminar la energía negativa de una o varias personas.

Por último, en nuestro tiempo, el dios gato o el gato sagrado, todavía aparece en los cultos citados o en otros de parecidas características.

La magia y las terapias de los gatos de diferentes razas: gato montés, siamés, de angora, etc..., consisten en atraer la fuerza negativa y en sanar, por ello, todo tipo de nerviosismo e inseguridad, así como sacar el mal de ojo.

Según Carlos Bernat, psicólogo, todos los individuos introvertidos y miedosos se relacionan mejor con un animal que con una persona, especialmente si es un gato. Ya dijo Lord Byron que el gato posee belleza sin vanidad, fuerza sin insolencia, coraje sin ferocidad, todas las virtudes del hombre sin sus vicios. El gato en resumen, es el único animal que ha logrado domesticar al hombre.

El Escarabajo

El escarabajo fue un animal sagrado esencialmente para los egipcios. Este pueblo creyó que el escarabajo era el símbolo del Sol y la resurrección.

La magia y las terapias del escarabajo son muy inmensas. Los escarabajos despiertan la suerte, las grandes empresas, la seguridad financiera, el coraje, la valentía, la fuerza y, en algunos casos extremos, la virilidad.

Sobre esta magia del escarabajo, la revista Karma.7, en un determinado anuncio, apunta:

"El escarabajo (escarabeo), es conocido especialmente como símbolo egipcio, símbolo del Sol y Resurrección. Es la imagen del Sol que renace de sí mismo. En la tumba de Tutankamon se hallaron varios escarabajos entre las diferentes piezas halladas en su sarcófago. Los escaraba-

La efigie de un escarabajo es uno de los mejores talismanes.

jos son portadores de influjos viriles por la creencia de que todos los escarabajos eran machos. En la actualidad se considera al escarabajo como portador de fuerza y coraje, y es apreciada mundialmente su efigie como uno de los mejores talismanes, que convenientemente cargado se utiliza para la atracción de suerte, y atracción en general; también para la superación del estado de soledad e inicio de buenos negocios, salud, vida y coraje".

Tristemente cuando se acerca el verano se multiplica el número de gatos y perros abandonados, aunque cada vez con más frecuencia otro tipo de animales.

De todo hay en la viña del Señor, y también personas desagradecidas y comodonas. En las perreras municipales, existentes en las principales poblaciones, son recogidas y cuidadas de forma conveniente a la espera de que otros más humanos y caritativos vayan a recogerlos o adoptarlos.

El autor

Los animales domésticos son los grandes desconocidos, pues las gentes hablan de ellos, pero en resumen, no sabemos qué piensan de nosotros, ni cómo nos ven.

Sabater Pi *(De Magazine, La Vanguardia).*

5
El Toro, el Carnero
y el Caballo

En Marraquesh pueden verse maravillosos caballos de pura sangre árabe realizando rápidas carreras con sus jinetes a la grupa; una fiesta que no puede olvidarse, en la que contrastan –caballo y jinete–, como compitiendo ambos, quién lo hace mejor.

R. P.

Cerca de la medianoche, un día...
Yo solo allende el Loira dando un rodeo
llegando a una Gran Cruz, en una encrucijada
oí, según creo, ladrar una jauría
de perros que paso a paso seguían mi rastro.
Vi cerca de mí un gran caballo negro.
Vi un hombre que no tenía sino los huesos
tendiéndome una mano para montarme a la grupa...
Miedo estremecedor corríome por los huesos.

(Ronsard, *Himno a los demonios*)
Diccionario de los símbolos

A muchas personas el montar a caballo les proporciona —además de placer—, una gran paz, un gran sosiego, quizá en contraste con la rapidez del coche como vehículo de transporte, o bien por el hecho en sí de participar en un deporte en el que juega una maravillosa estampa: el caballo.

R. P.

EL TORO EVOCA LA IDEA DE POTENCIA Y DE FOGOSIDAD IRRESISTIBLE, ES MACHO IMPETUOSO Y TERRIBLE. ES SÍMBOLO DE LA FUERZA CREADORA.

El Toro

HISTORIA SAGRADA

El toro siempre ha estado considerado un animal sagrado, y más concretamente el animal sagrado de los cultos solares. En un principio, según una tradición ocultista, los habitantes de la legendaria Atlántida creyeron en el toro sagrado, provocando ello que los reyes del paradisíaco lugar enrojecieran sus cuerpos desnudos con la sangre de un toro sagrado.

El rabo del toro ahuyenta los malos espíritus y la negatividad.

Algunos siglos después, los egipcios –para muchos los herederos directos de los grandes conocimientos de la Atlántida–, recuperaron esa devoción por el toro sagrado con el culto devoto al dios buey-toro Apis, aunque, no obstante, sólo los misterios de la religión de Mitra observaron al toro como mediador directo entre dioses y hombres.

También el mundo clásico dio importancia al toro sagrado. Por aquellos siglos, el toro protegió el Vellocino de oro de Yolcos, tuvo relación con Júpiter, fue nombre de honor del príncipe de Cnosos y del jefe de los ejércitos de Minos y se convirtió en el mitológico Minotauro.

En el medievo, el toro sagrado y sus iniciáticos cuernos quedaron sumidos en el olvido y la persecución.

Los cultos que preservaron el culto al dios cornudo francamente lo pasaron muy mal.

Hoy, el toro aparece en los horóscopos representando al signo de Tauro, en cultos ancestrales que permanecen vivos o en tradiciones como la de Ormuz, cosa que no impide que este animal sagrado sea linchado, acuchillado y asesinado por la "fiesta nacional" de nuestro país: el toreo.

La realidad es que mucho cateto e iletrado con falta de sentimientos anda suelto por la geografía nacional dando cornamentas peores que las del toro.

MAGIA Y TERAPIAS

El toro es un animal de gran fortaleza, audacia y temeridad. Por ello, una cabeza de toro puede dar seguridad y valentía si se tiene en el despacho ó la sala..

La magia del toro también alcanza su rabo. El rabo del toro ahuyenta los malos espíritus y la negatividad. Se dice que el caldo de rabo de buey es afrodisíaco.

EL SÍMBOLO

El símbolo del toro está relacionado con el Sol, la fuerza, el poder y la valentía.

El Carnero

El carnero otorga poder, fuerza y valentía.

HISTORIA SAGRADA, MAGIA Y TERAPIAS

El carnero ha sido un animal sagrado muy ligado a la historia del hombre. En el mundo clásico se creyó que Júpiter ocultó su figura bajo la forma de un carnero. Por esos siglos anteriores a la llegada del cristianismo, también se relacionó a Mercurio con el carnero. Hoy, finalmente, los templos masónicos, por ejemplo, poseen un carnero sagrado en la columna que le corresponde. En referencia a esto, apunta L.U. Santos:

"El signo de Aries o del carnero es uno de los que figuran en la decoración de los Templos simbólicos de la masonería, encima de una columna".

El carnero posee una extraordinaria capacidad mágica y terapéutica, ya que otorga poder, fuerza y valentía.

El Caballo

HISTORIA SAGRADA, MAGIA Y TERAPIAS

Los caballos siempre han sido adorados y considerados sagrados. Todos los poetas del mundo antiguo Pamfo, Virgilio, Menelao, entre otros, escribieron leyendas sobre ellos.

Los romanos fueron capaces de consagrarlos a Marte. Y los pueblos germánicos los adoraban hasta extremos poco saludables, con la única intención de hacer predicciones.

En Germania, los sacerdotes o el jefe del Estado, que eran los más estrechamente relacionados con los caballos,

El símbolo del caballo está ligado a la paz.

observaban los relinches, las posturas o los movimientos más insignificantes, para deducir de esto el futuro, videncia que resultaba respetada hasta extremos peligrosos por el pueblo.

El caballo guarda gran relación con la videncia, la libertad y el poder. Por ello, el caballo es un animal ideal para obtener respuestas y sanar enfermedades nerviosas.

El símbolo del caballo blanco está ligado a la paz y la libertad. El símbolo del caballo negro, por contra, tiene mayor relación con la guerra y el encadenamiento. El símbolo del caballo, en otras ocasiones, estuvo ligado a la idea del Imperio.

Hay personas que casi aman más a su caballo que a su propia persona; esperan sólo tener un momento disponible para pasarlo con él, bien limpiándolo, proporcionarle caricias o montándolo. Al realizar estos actos nacen entre ambos los símbolos de un cariño entrañable entre el reino animal y el reino animal (sapiens). Cuando se les preguntó a estas personas respondieron que para ellos era la mejor hora del día y les proporcionaba mucha armonía y paz que en la vida cotidiana no obtenían. ¡Perfecta respuesta!.

6
El Ratón, el Cocodrilo, la Abeja y los Peces

Conozco a varias personas, que al final de un día estresado, se sientan tranquilamente ante su Acuarium en muda contemplación a estos pececitos virtuosos llenos de coloridos aterciopelados y brillantes. ¿Cómo puede ser que en esta actitud se pasen minutos y hasta más de una hora? Preguntados, respondieron que el hacerlo les daba una calma especial, una relajación paradisíaca que les permitía así olvidarse de los alborotamientos del día. Después de esta paz mental así adquirida, casi todos afirmaron que limpiaban y daban de comer a sus adorados pececitos. Cuando realizaban estas tareas no pensaban en nada, o máxime en lo que hacían, ésto era el quid de la cuestión, sin problemas yacentes. ¡Qué mejor magia!

El autor

Con referencia a la abeja la contemplación, el estudio, el análisis de la más laboriosa del reino animal, causa estupor y nos deja sorprendidos. El panal, las flores, la succión, el depositar la miel, la cera, demuestran un orden dentro del mismísimo orden. El simbolismo de la abeja se encuentra pues en todas partes. En magia es la cera transformada en velas, cirios o velones, todos ellos indispensables en el quehacer mágico. Quienes contemplan todo lo dicho anteriormente se llenan de paz y de admiración, que con otros aconteceres de su existencia no alcanzan conseguir.

LA ABEJA COMO CRIATURA FÍSICA SABEMOS TODOS QUE, ES JUNTO CON LA HORMIGA, SÍMBOLOS DE LA MÁS GRANDE LABORIOSIDAD.

El Ratón

HISTORIA SAGRADA

El ratón ha sido considerado un animal sagrado durante buena parte de la historia. Así, en la antigüedad, los
egipcios relacionaron al ratón con el juicio divino; los romanos creyeron que sus chillidos eran un mal presagio y
los ratones blancos un buen presagio; los frigios rindieron
culto al ratón; los troyanos hicieron lo mismo, porque
consideraron al ratón aliado en las batallas; y los asirios
idolatraron al animal, hasta extremos curiosos.

Los romanos creyeron que los ratones son un buen presagio.

En el medievo, dentro del oscurantismo de Occidente y la luz de Oriente, el culto al ratón sagrado permaneció obviamente en Oriente.

Hoy, la devoción por el ratón sagrado sólo se encuentra en Oriente. Sin ir más lejos, en Basora y otros lugares de la India, aún se considera un delito matar a cualquiera de estos animales.

MAGIA Y TERAPIAS

El ratón es capaz de acabar con muchas cosas. Un ratón come y destruye cuanto puede. Ese comportamiento provoca que el ratón permanezca unido a procesos destructivos, cosa que, dependiendo de su utilidad, puede resultar favorable o desfavorable.

EL SÍMBOLO

El símbolo del ratón está relacionado con la destrucción.

El Cocodrilo

El cocodrilo fue un animal sagrado para los antiguos egipcios, los hermetistas y la masonería. En Egipto, el cocodrilo apareció en los jeroglíficos como jefe del navío hermético. Entre los hermetistas, el cocodrilo era considerado el jeroglífico natural de la materia filosófica, compuesto de agua y tierra.

Y, para la masonería, el cocodrilo resultó ser uno de los animales que adornaban la caverna de iniciación de la Orden de los filósofos desconocidos, figurando, por ello, también el tercero de los que decoran el lado del mediodía.

El cocodrilo está relacionado con la capacidad de mando.

El cocodrilo está relacionado con la capacidad de mando.

La Abeja

Los chinos y algunos pueblos del Africa esculpieron abejas sobre las sepulturas de las personas que se habían distinguido por su laboriosidad. Isaías dijo que la abeja era el símbolo de la herejía, la laboriosidad, el trabajo e ideas dulces y risueñas.

Los primeros cristianos –cristianos quizás más cercanos a la verdad primordial que los actuales católicos–, creyeron que la abeja era el símbolo del Cristo resucitado. La masonería relacionó al insecto con la obediencia y el trabajo. Y los reyes de Francia unieron el símbolo de la abeja a sus santos, antes de la aparición de la iniciática flor de lis. La Orden de los Iluminati, desde el siglo XVIII, también ha utilizado en sus grados ocultos al mundo profano el símbolo de la abeja.

La abeja provoca ganas de trabajar y una gran laboriosidad.

La abeja provoca ganas de trabajar y una gran laboriosidad, virtudes muy saludables para cualquier persona.

Los Peces

El símbolo del pez ha estado ligado al cristianismo; al signo astrológico de Piscis; y a la Era de Piscis que está cercana a la muerte. El símbolo del pez, por consiguiente, también ha permanecido unido al terror, la muerte, el sacrificio, el dolor, el malestar y la destrucción.

Pero los peces de colores, no obstante, según la psicología moderna, otorgan tranquilidad, disminuyen la pre-

Observar peces de diferentes y bellos colores disminuye la presión sanguínea, cura el estrés y otorga paz mental y espiritual.

sión sanguínea, sanan el estrés y ofrecen, en definitiva, salud a través de la armonía y la paz personal.

Sobre esta dualidad del pez que acabamos de observar, Jesús, fundador del cristianismo, dijo:

"También es semejante el reino de los cielos a una red que, echada en el mar, allega todo género de peces. La cual, en estado llena, sácanla los pescadores y, sentados en la orilla, van escogiendo los buenos y los meten en sus cestos, y arrojan los de mala calidad... Así sucederá al fin de los tiempos: saldrán los ángeles y separarán a los malos entre los justos... Y allí los arrojarán en el horno del fuego; allí serán el llanto y el crujir de dientes...".

La parábola que establece una relación entre la dualidad de los peces y los hombres es iluminadora. La parte final del texto, repleta de incitaciones a la quema de seres humanos, resulta, por lo menos, escalofriante.

7
Los animales mitológicos

Exponemos a continuación una pequeña serie de animales mitológicos, que representan un bestiario colosal para poder tener por lo menos un principio de inicio en el estudio de la magia y especialmente de la simbología. No se puede olvidar que cualquier símbolo es la cuna en que se apoya el conjunto de hechos, causas y el por qué de nuestro mundo, aparte de encerrar la sabiduría a través de los tiempos.

La mitología, antecesora y prima hermana de la simbología nos inicia y enriquece continuadamente.

Quienes se sienten identificados con un animal doméstico o bien mitológico, y no posean en su hogar las condiciones mínimas apetecidas por estos seres, siempre podrán recurrir a su contemplación. adquiriendo multitud de posters, que actualmente existen en variados y preciosos colores, y que podrán colgar bien en su cuarto o en la sala.

EL FÉNIX, NOS CUENTA PLUTARCO, ES UN AVE MÍTICA DE GRAN ESPLENDOR, POSEE UNA EXTRAORDINARIA LONGEVIDAD, Y TIENE EL PODER DESPUÉS DE HABERSE CONSUMIDO SOBRE UNA HOGUERA, DE RENACER DE SUS CENIZAS.

El Basilisco

El basilisco es un animal fabuloso que, según la leyenda, mata con una simple mirada. Sin embargo, dicho animal también puede ser un excelente talismán protector.

El Centauro

El centauro es un ser monstruoso, mitad hombre y mitad caballo, que fue casi exterminado en Tesalia. El centauro ayuda en los trabajos de magia, la música, las artes y la adivinación.

El Dragón

El dragón es un animal mitológico, similar a una serpiente con pies y alas, de gran voracidad y fiereza. En Grecia y la India, simbolizó al espíritu del mal. En China, por contra, fue el guardián de todos los bienes y dador de la felicidad. El dragón es un excelente talismán contra los ataques psíquicos y físicos.

La Esfinge

La esfinge es un animal fabuloso de origen egipcio, de cuerpo leonino y cabeza humana, que tuvo la función de custodiar las tumbas de los faraones y proponer acertijos a los visitantes del camino de Tebas. En Grecia, se transformó en un animal de rostro y busto femenino, con cuerpo de león y alas. La esfinge es útil en las ceremonias iniciáticas.

El Pegaso

El pegaso es un caballo con alas que procede de la mitología griega. Se cree que nació de la sangre de Medusa. El pegaso favorece la meditación y el trabajo en el plano astral.

El Fénix

El fénix es una gran ave que proviene del antiguo Egipto. Esta ave, tras vivir durante varios siglos, se quemaba y renacía. Los egipcios la representaron como una garza y los pueblos clásicos como un pavo real o un águila. El fénix potencia todo tipo de renacimientos.

Sobre la relación entre el fénix y la masonería, relación que puede considerarse importantísima, L.U. Santos nos dice:

"Según la instrucción de los Jueces Filósofos Desconocidos, el fénix era el emblema del novicio y el símbolo más antiguo de la masonería, así como la imagen del honor que pereció para vivir, mejor dicho, revivir, y de la Orden de los Templarios que, habiendo sido reducida a cenizas por las llamas, renacía de sus propias cenizas".

El Unicornio

El unicornio es un animal fabuloso con cuerpo de caballo y cuerno en el centro de la frente. El unicornio estuvo muy presente entre los pueblos de la antigüedad: nórdicos, griegos y hebreos. En el Antiguo Testamento, el unicornio aparece como símbolo de exaltación, fuerza y orgullo. Ciertamente, el unicornio puede levantar todas esas virtudes.

El Cinocéfalo

El cinocéfalo es un animal simbólico, representado con cuerpo de hombre y cabeza de perro. Los egipcios lo emplearon como símbolo del Sol y de la Luna. También los egipcios relacionaron a este animal mitológico con la leyenda de Osiris. Además, algunos iniciados del período creyeron que guardaba relación con el mercurio filosófico y Hermes.

El cinocéfalo aparece representado con el caduceo, algunos vasos, la flor de lotus, emblemas acuáticos u otros símbolos herméticos como un rollo de papel o un junco. El cinocéfalo ayuda a los estudios, las artes y el ocultismo; su contemplación así nos lo dice.

BIBLIOGRAFÍA RECOMENDADA

El catecismo masón, Luis Umbert Santos, Editorial Pax México.
Animal Magick, D.J. Conway, Llewellyn Publications.
Sagrada Sexualidad, Georg Feuerstein, Kairós.
Cábala Mágica, Gabriel L. de Rojas, Ed. Protusa.
La magia de las piedras preciosas, El poder y la Magia a través de las piedras preciosas, G.L. Rojas. Edic-Karma 7

ÍNDICE

PRÓLOGO 7

INTRODUCCIÓN 9

1
LA PALOMA Y OTRAS AVES 13

2
EL PELÍCANO 21

3
EL PERRO, EL LOBO Y EL ZORRO 27

4
LA SERPIENTE, EL GATO Y EL
ESCARABAJO...35

5
EL TORO, EL CARNERO Y EL CABALLO 43

6
EL RATÓN, EL COCODRILO, LA ABEJA
Y LOS PECES 51

7
LOS ANIMALES MITOLÓGICOS 59

BIBLIOGRAFÍA RECOMENDADA 63